Juliette

EN DIRECT

Les éditions de la courte échelle inc.
160, rue Saint-Viateur Est, bureau 404
Montréal (Québec) H2T 1A8
www.courteechelle.com

Révision : Hélène Ricard

Dépôt légal, 2ᵉ trimestre 2014
Bibliothèque nationale du Québec

La courte échelle reconnaît l'aide financière du gouvernement du Canada
par l'entremise du Fonds du livre du Canada pour ses activités d'édition.
La courte échelle est aussi inscrite au programme de subvention globale
du Conseil des arts du Canada et reçoit l'appui du gouvernement du Québec
par l'intermédiaire de la SODEC.

La courte échelle bénéficie également du Programme de crédit d'impôt
pour l'édition de livres — Gestion SODEC du gouvernement du Québec.

**Catalogage avant publication de Bibliothèque et Archives nationales
du Québec et Bibliothèque et Archives Canada**

DeMuy, Yvan
Juliette en direct
Sommaire : t. 5. Le mystère du grenier.
Pour enfants de 6 ans et plus.
ISBN 978-2-89695-480-3 (vol. 5)
I. Benoit, Mathieu. II. DeMuy, Yvan. Mystère du grenier. III. Titre.
IV. Titre : Le mystère du grenier.

PS8557.E482J84 2012 jC843'.6C2012-941308-9
PS9557.E482J84 2012

Imprimé au Canada

Yvan DeMuy

Juliette
EN DIRECT

tome 5
Le mystère Du grenier

Illustrations de
Mathieu Benoit

la courte échelle

À Boris

Mon univers

Juliette

Tout le monde m'appelle Juju. Je ne suis jamais à court d'idées pour m'amuser ! Tannante ? Moi ? Noooooooon ! Aussi, maman me manque beaucoup, mais je suis sûre qu'elle veille sur moi de là-haut.

Denis Bolduc, mon toutou préféré

Quand j'ai rencontré mon chauffeur d'autobus, Denis Bolduc, je trouvais qu'il lui ressemblait. Je l'ai donc baptisé du même nom ! Il est arrivé pour mon anniversaire de cinq ans. C'est maman qui l'a fabriqué.

LOUIS,
mon papa

Papou est pâtissier (miam !). Il aime manger de la pizza devant un film, regarder le hockey à la télé et... écouter de l'opéra (beurk !). Ce qui est le plus important pour lui ? Le bonheur de ses filles : Jess et moi !

HUBERT,
mon meilleur ami

Il est toujours prêt à me suivre dans mes aventures. C'est un sacré gourmand, il adore les biscuits. Hubert est un peu maladroit, mais tout le monde le trouve rigolo !

JESSICA,
ma sœur

Elle est experte en chialage. Mais bon, elle est super-gentille. Jess aime écouter sa musique et écrire dans son journal intime. Moins ça bouge, plus elle aime ça ! Je suis vraiment chanceuse de l'avoir !

Chapitre 1

Ça claque

Mon ami Hubert claque des dents ! Ce n'est pas parce qu'il fait froid ou qu'il a un tic nerveux. C'est seulement qu'Hubert est un peureux ! Moi, quand j'ai peur, mes dents ne dansent pas la claquette, je deviens plutôt muette. C'est beaucoup moins fatigant !

Je tente de le rassurer pour la millième fois.

— Hubert ! C'est juste un petit bruit qui vient du grenier. Dors, c'est la nuit.

Rien à faire, ça ne fonctionne pas. Son clac-clac se fait aller sans arrêt, mais il arrive quand même à baragouiner des trucs.

— C'est… peut-être… un… un… ours ou un… un… loup !

Je ne suis pas une experte en bruits étranges, ni en animaux sauvages, mais je serais surprise qu'un ours ou un loup se cache dans un endroit pareil. Et à la grosseur qu'ils ont, ils feraient pas mal plus de bruit.

— Ton… ton… ton père… a dit que…

Quand papa nous a proposé, à Hubert, à Jess et à moi, de passer quelques jours dans ce chalet au beau milieu de nulle part, il a mentionné qu'on croiserait plein de petits animaux de la forêt et peut-être aussi des chevreuils. Mais il n'a jamais, au grand jamais, parlé de la possibilité de tomber nez à nez avec un ours ou un loup.

De toute façon, dès notre arrivée, je suis allée jeter un coup d'œil à ce grenier et tout ce que j'ai vu, c'est de la poussière, des toiles d'araignée et quelques vieilles boîtes.

Absolument rien d'anormal. Mais c'est vrai qu'en ce moment, on entend un petit zuik-zuik, ou touk-touk, ou quelque chose qui ressemble à ça.

Ce qui n'a pas aidé Hubert, c'est que ma sœur Jess a tout fait pour nous faire peur avant qu'on aille se coucher. Elle a pris sa voix de méchante sorcière et nous a raconté l'histoire d'une immense créature poilue à trois yeux qui dormait dans le grenier d'une cabane perdue en pleine forêt. La nuit venue, cette créature se faufilait en bas pour aller manger les orteils des enfants. Mission à demi accomplie pour ma sœur adolescente, car moi, je n'ai pas peur ! Enfin, presque pas ! Ça me donne surtout envie d'aller voir ce qui se passe dans ce mystérieux grenier.

— Go ! Hubert, on y va !

— Bonne idée, Juju ! On réveille Jess et ton père, et on se sauve !

— Mais non, Hubert ! On va voir ce qui se cache là-haut.

Les dents d'Hubert claquent encore plus vite ! Pas de doute, il n'est vraiment pas le plus courageux.

Je saisis ma lampe de poche, et c'est parti ! Attention zuik-zuik ou touk-touk, nous voilà !

Chapitre 2

ça craque

Hubert n'a aucun talent pour la discrétion. Comme si son claquement de dents n'était pas assez bruyant, Hubert a mis le pied sur LA latte du plancher qui craque ! Et puisque papa et Jess dorment dans la même pièce que nous, j'étais certaine qu'ils allaient se réveiller.

— Je t'avais dit, Hubert, de ne pas mettre ton pied dessus !

— Je pensais que c'était celle de droite, qu'il m'a répondu.

Nous n'étions pas au bout de nos peines, car pour atteindre le corridor et se rendre

à l'escalier qui mène au grenier, il fallait enjamber un obstacle de taille : ma sœur Jess. Elle dormait sur un matelas gonflable tout juste devant la porte de la chambre. J'ai franchi l'obstacle sans trop de problèmes, mais en jetant un coup d'œil à Hubert, j'ai tout de suite vu qu'une catastrophe allait arriver d'un instant à l'autre. Il s'apprêtait à prendre un élan afin de sauter par-dessus Jess.

— Non, Hubert, si tu sautes, c'est certain que tu vas la réveiller !

Il a alors tenté d'enjamber Jess et... il a perdu l'équilibre ! Heureusement, je l'ai attrapé avant qu'il tombe sur ma sœur.

Nous sommes finalement sortis de la chambre et avons marché sur la pointe des pieds jusqu'ici, devant l'escalier. En fait, il s'agit d'une échelle étroite et quelque peu chambranlante. Ce qui est loin de rassurer Hubert.

— Vas-y, Juju, je… t'a… ttends !

— Pas question, Hubert ! Suis-moi et tout ira bien.

Je fais ma brave, mais à l'intérieur de moi, il y a une petite voix qui répète sans arrêt : «Juliette, va te recoucher, et tout de suite à part ça !»

Plus je grimpe, plus je sens mes jambes se ramollir comme de la guenille. Une chance que Denis Bolduc est tout contre moi, il m'aide à surmonter ma peur. Hubert me suit de près et tient fermement le bas de mon pantalon.

Rendue tout en haut de l'échelle, je soulève délicatement la trappe et, à l'aide de la lampe de poche, j'essaie d'y voir plus clair. Pendant ce temps, Hubert claque toujours des dents.

— Hubert ! Prends une petite pause de clac-clac. Je voudrais savoir d'où vient le zuik-zuik.

— Pas... capable... d'arrêter mon... clac-clac !

Je me concentre et je trouve. Ça vient du tas de boîtes, au fond, là-bas.

— Prêt, mon Hubert ? Allons-y !

Hubert n'est pas prêt, mais on y va quand même. J'avance à quatre pattes avec Denis Bolduc accroché à mon cou, suivie de mon ami. La sueur coule sur mon front, mes mains sont moites et mon cœur bat à cent dix pulsations à la seconde.

— Ahhhh ! On m'attaque !

Une attaque ?! Je me retourne, déterminée à délivrer mon ami des griffes de l'immense créature poilue à trois yeux, mais... il s'agit d'une simple toile d'araignée. Fiou !

Une fois Hubert libéré, nous continuons vers le fond du grenier. Plus nous nous approchons et plus le bruit étrange ressemble à un son que je reconnais. J'étire le cou au-dessus d'une boîte et... WOW !

Chapitre 3

Trente-six pattes

Huit magnifiques et adorables chatons ! Deux gris rayés, un blanc, trois noirs, un autre de couleurs mêlées, et le dernier, un tigré roux. Celui-là me fixe avec ses petits yeux ronds. Le bout de ses pattes est blanc, et son oreille droite est pliée en deux. Ça y est, coup de foudre entre nous ! La maman, malgré la marmaille autour d'elle, semble en pleine forme. Pauvres petits, seuls au fond de ce lugubre grenier, en pleine forêt !

— Juju, qu'est-ce qu'on va faire avec eux ? On part demain, chuchote Hubert sans claquer des dents.

Ça leur prend effectivement une maison et une famille. Voyons voir, qu'est-ce que je pourrais bien… ? Je l'ai !

— Hubert, j'ai toujours rêvé d'avoir un refuge pour animaux abandonnés. Eh bien, voici mes premiers clients ! Je vais les ramener à la maison. Ils seront en sécurité et ils ne manqueront de rien. Surtout pas d'amour !

— Tu crois vraiment que ton père sera d'accord ?

Euh… je suppose que non ! Il est comme ça, mon papou. Il trouve que j'ai beaucoup d'idées, mais que, parfois, elles sont un peu trop farfelues. Mais si je veux sauver la vie de huit magnifiques chatons et de leur maman, je n'ai pas le choix, je dois prendre les grands moyens.

— C'est décidé ! Je les emmène à la maison, et dès qu'on y sera, je ferai la surprise à papa.

Hubert est loin d'être convaincu que papou appréciera ma « surprise », mais peu importe, il fait la promesse de ne rien dire et de m'aider à les ramener en cachette chez moi. Rendue là, il me sera plus facile de convaincre papa de mettre sur pied mon refuge. J'aménagerai un coin bien à eux dans mon fameux placard et tâcherai de trouver une bonne famille à chacun. Je sais déjà que mamie Simone en voudra un, elle adore les chats autant que moi. À moins que je les garde tous ? Ça aussi, c'est une bonne idée, mais peut-être un peu trop... farfelue !

Pour l'instant, nous devons retourner nous coucher afin de ne pas éveiller les soupçons de Papou ou de Jess. Je dois également trouver une façon ingénieuse de cacher les chats dans l'auto avant notre départ.

On se dépêche de descendre l'échelle et... qui est là ? Jess ! À moitié endormie et

surprise de nous voir, elle se demande ce qu'on fabrique à une heure pareille.

Je réfléchis vite.

— C'est Denis Bolduc !

Hubert et Jess me regardent avec de gros points d'interrogation dans les yeux.

— Ça lui arrive d'être somnambule, et on l'a retrouvé dans le grenier.

J'avoue que j'aurais pu trouver mieux comme explication, mais en pleine nuit, mon cerveau ne réfléchit pas toujours à la bonne vitesse. Heureusement que celui de Jess est au ralenti lui aussi, car elle continue son chemin vers la salle de bain comme si je n'avais rien dit. J'en profite pour me sauver avec Hubert et Denis Bolduc jusqu'à nos sacs de couchage. Il est temps de dormir, car une grosse journée nous attend demain !

Chapitre 4

Quatorze passagers

J'avoue, je suis assez fière de moi. J'ai trouvé une super-cachette pour les adorables bibittes à poil : le porte-bagages qui se trouve sur le toit de l'auto.

— Alors Hubert, qu'est-ce que tu en penses ?

Hubert pense que mon plan est risqué. Moi, je crois plutôt que mon plan est infaillible. Si mamie Simone était là, elle dirait : « Bravo ma p'tite Juju ! Tu es plus brillante qu'une étoile dans le ciel ! »

Elle aurait raison ! J'ai vraiment pensé à tout : les sacs de couchage pour tenir les

chatons bien au chaud, un bol d'eau pour la maman, et des boulettes de papier chiffonné pour qu'ils s'amusent ensemble. Tous les chats du monde aiment jouer avec des boulettes de papier.

Ne manque que quelques petits trous dans le porte-bagages. Ça leur permettra d'avoir un peu d'air frais durant le très long voyage.

Je n'ai pas une seconde à perdre, car papa et Jess seront bientôt de retour de leur tour de chaloupe sur le lac.

— Tiens le clou bien fort, Hubert, je vais donner un bon coup de marteau.

— T'es sûre, Juliette, que c'est une bonne idée et qu'il n'y a pas de danger pour mes doigts ? !

— Voyons, Hubert ! Je suis une pro de la précision ! Rappelle-toi, qui est la meilleure pour lancer le ballon directement dans le panier ? C'est moi !

Hubert se méfie quand même et il ferme les yeux pour ne rien voir. Je regarde bien ma cible, je me concentre et...

— Ayoye !

Oh, oh ! petit problème ! J'ai raté le clou, mais pas le doigt d'Hubert !

— Je peux savoir ce que tu fais avec un marteau dans les mains ?

Oh, oh ! gros problème ! Je reconnais la voix de papou. Il est de retour, avec Jess !

— Et tu peux m'expliquer pourquoi il y a autant de bagages à l'intérieur de l'auto ?

Il en a de ces questions embêtantes, mon papou !

Jess, qui a la fâcheuse manie de ne pas se mêler de ses affaires, trouve ça étrange elle aussi et décide d'ouvrir le porte-bagages. C'est clair que je vais avoir des ennuis et que mon plan de sauvetage est finalement loin d'être infaillible !

— WOW ! Des chatons !

Jess est emballée par sa découverte, mais pas pour longtemps, puisqu'un des petits a le malheur de faire son besoin sur SON sac de couchage ! Précieuse comme elle est, elle grimace de dégoût.

Papa attend impatiemment mes explications. Je lui parle de mon rêve d'avoir un refuge pour animaux abandonnés et surtout, je lui précise qu'il n'aura à s'occuper de rien puisque avec Hubert et Denis Bolduc, je forme une équipe hors de l'ordinaire. Je prends même mon regard piteux des grandes occasions. Habituellement, ça fonctionne et j'obtiens ce que je veux, mais pas cette fois-ci.

Papou propose plutôt une expédition. Comme si c'était le temps !

— Tout le monde à bord, mais rien dans le porte-bagages, et en route !

On fait ce que papou dit, et voilà quatorze passagers entassés comme des

sardines dans une petite auto. Huit chatons et leur maman dans une boîte, une adolescente qui chiale sans arrêt, car elle a de la difficulté à bouger, Hubert qui se plaint que son index est aussi gros que son pouce, un papou qui trouve ça drôle, un Denis Bolduc heureux d'être du voyage et moi qui me demande bien où on s'en va comme ça, en suivant des chemins de terre en pleine forêt. Toute une expédition !

Papa s'arrête finalement devant un chalet. Un vieux monsieur, l'air pas trop sympathique, s'approche de nous. Mais quand il voit ce qu'il y a dans ma boîte, il sourit et s'exclame :

— Joséphine !

Tu parles d'une histoire ! La chatte du vieux monsieur, qui s'est réfugiée dans le grenier de notre chalet pour accoucher ! Il y a deux jours, papou avait justement croisé ce monsieur à la recherche de sa Joséphine.

Je suis contente qu'il les ait retrouvés, elle et ses petits, mais ça me fait de la peine de les laisser ici. J'aurais tellement aimé mettre sur pied mon refuge pour animaux abandonnés. Le vieux monsieur devine ma peine et prend au creux de sa main mon chat préféré : le tigré roux avec une oreille pliée en deux.

— J'ai l'impression que celui-ci t'aime bien. Quand il sera assez grand pour être séparé de sa maman, tu pourras revenir le chercher.

Papa s'empresse d'intervenir.

— C'est que... on n'a pas l'intention de...

Je refais le coup des yeux piteux, avec la promesse de prendre bien soin du chaton. Jess, Hubert et même Denis Bolduc plaident en ma faveur ! Papou est donc incapable de dire non.

J'ai déjà trouvé le nom de mon nouvel ami : Clac-clac, en l'honneur du claquement de dents fatigant d'Hubert !

L'auteur

Yvan DeMuy travaille depuis plus de vingt ans comme éducateur spécialisé auprès des élèves en difficulté. Lorsqu'il n'aide pas les enfants, il leur écrit des histoires. Yvan est le scénariste de la websérie *Juliette en direct* et il a écrit trois épisodes pour l'émission *Théo*. Il est aussi l'auteur des séries *Magalie* et *Les soucis d'un Sansoucy* aux Éditions Michel Quintin. Yvan prend un malin plaisir à raconter des histoires complètement folles à son fils avant d'aller dormir. Les animaux en peluche lui donnent un bon coup de main !

Les livres de Juliette

Juliette

EN DIRECT

Juliette
EN DIRECT

L'abominable montagne

Yvan DeMuy • Mathieu Benoit

Juliette
EN DIRECT

La course de boîtes à savon

Yvan DeMuy • Mathieu Benoit

Juliette
EN DIRECT

Le club des gestes gentils gratuits

Yvan DeMuy • Mathieu Benoit

Juliette
EN DIRECT

Un reportage... tonnant !

Yvan DeMuy • Mathieu Benoit

Juliette
EN DIRECT

Le mystère du grenier

Yvan DeMuy • Mathieu Benoit

Achevé d'imprimer
en avril deux mille quatorze, sur les presses
de l'imprimerie Gauvin, Gatineau, Québec